S0-AUN-073

幼兒版 三字經

59首生動活潑的歌謠，快樂念唱古人智慧結晶！

風車圖書出版
WINDMILL

"目錄"

人ㄖㄥˊ之ㄓ初ㄔㄨ

性本善、性相近、習相遠…

人ㄖㄣˊ之ㄓ初ㄔㄨ　性ㄒㄧㄥˋ本ㄅㄣˇ善ㄕㄢˋ

性ㄒㄧㄥˋ相ㄒㄧㄤ近ㄐㄧㄣˋ　習ㄒㄧˊ相ㄒㄧㄤ遠ㄩㄢˇ

苟ㄍㄡˇ不ㄅㄨˋ教ㄐㄧㄠ　性ㄒㄧㄥˋ乃ㄋㄞˇ遷ㄑㄧㄢ

教ㄐㄧㄠ之ㄓ道ㄉㄠˋ　貴ㄍㄨㄟˋ以ㄧˇ專ㄓㄨㄢ

{國文小博士}人出生時，本性都是善良的，因環境的不同，長大後就有了差異。小時候不教好，善良的本性就會改變，所以我們教導時要特別專注。

昔（ㄒㄧˊ）孟（ㄇㄥˋ）母（ㄇㄨˇ）

擇鄰處、子不學、斷機杼⋯

昔孟母　擇鄰處

子不學　斷機杼

竇燕山　有義方

教五子　名俱揚

{語文小博士}孟母為了替孟子選擇學習環境而多次搬遷，她也讓孟子知道，中斷學習便會前功盡棄。竇燕山教孩子有方法，五個孩子都能夠名揚天下。

養（一ㄤˇ）不（ㄅㄨˋ）教（ㄐㄧㄠ）

父之過、教不嚴、師之惰…

養（一尢）不（ㄅㄨ）教（ㄐ一ㄠ）　父（ㄈㄨ）之（ㄓ）過（ㄍㄨㄛ）

教（ㄐ一ㄠ）不（ㄅㄨ）嚴（一ㄢ）　師（ㄕ）之（ㄓ）惰（ㄉㄨㄛ）

子（ㄗ）不（ㄅㄨ）學（ㄒㄩㄝ）　非（ㄈㄟ）所（ㄙㄨㄛ）宜（一）

幼（一ㄡ）不（ㄅㄨ）學（ㄒㄩㄝ）　老（ㄌㄠ）何（ㄏㄜ）為（ㄨㄟ）

{國文小博士}養孩子卻不去教育是父親的過錯；沒有嚴格教好學生是老師的不對。小時候不認真學習是不應該的；幼年時沒學好，長大後還能做什麼？

玉（ㄩˋ）不（ㄅㄨˋ）琢（ㄓㄨㄛ）

不成器、人不學、不知義…

玉ㄩ 不ㄅㄨ 琢ㄓㄨㄛ　不ㄅㄨ 成ㄔㄥ 器ㄑㄧ

人ㄖㄣ 不ㄅㄨ 學ㄒㄩㄝ　不ㄅㄨ 知ㄓ 義ㄧ

為ㄨㄟ 人ㄖㄣ 子ㄗˇ　方ㄈㄤ 少ㄕㄠ 時ㄕ

親ㄑㄧㄣ 師ㄕ 友ㄧㄡ　習ㄒㄧˊ 禮ㄌㄧˇ 儀ㄧ

{國文小博士} 玉石沒有琢磨，不會成為貴重的器物；人不學習，就不懂做人的道理。做人子弟的，小時候就應該親近老師和朋友，從中學習做人的禮儀。

香_{ㄒㄧㄤ}九_{ㄐㄧㄡˇ}齡_{ㄌㄧㄥˊ}

能溫席、孝於親、所當執⋯

香九齡　能溫席
孝於親　所當執
融四歲　能讓梨
弟於長　宜先知

{語文小博士}黃香九歲時就知道在天冷時先替父親暖
被子，我們要學習他的孝順。孔融四歲時，就會把
大的梨子讓給兄長吃，尊敬兄長是應該做的。

首_{ㄕㄡˇ}孝_{ㄒㄧㄠˋ}弟_{ㄊㄧˋ}

次見聞、知某數、識某文⋯

首 ㄕㄡˇ 孝 ㄒㄧㄠˋ 弟 ㄊㄧˋ　次 ㄘˋ 見 ㄐㄧㄢˋ 聞 ㄨㄣˊ

知 ㄓ 某 ㄇㄡˇ 數 ㄕㄨˋ　識 ㄕˋ 某 ㄇㄡˇ 文 ㄨㄣˊ

一 ㄧ 而 ㄦˊ 十 ㄕˊ　十 ㄕˊ 而 ㄦˊ 百 ㄅㄞˇ

百 ㄅㄞˇ 而 ㄦˊ 千 ㄑㄧㄢ　千 ㄑㄧㄢ 而 ㄦˊ 萬 ㄨㄢˋ

{語文小博士}首先，要從孝順父母，以及友愛兄弟做起，其次是學習一般常識、了解數學及好文章。一到十是基本的數字，接著是一百、一千、一萬。

三ㄙㄢ 才ㄘㄞˊ 者ㄓㄜˇ 天ㄊㄧㄢ 地ㄉㄧˋ 人ㄖㄣˊ

三ㄙㄢ 光ㄍㄨㄤ 者ㄓㄜˇ 日ㄖˋ 月ㄩㄝˋ 星ㄒㄧㄥ

三ㄙㄢ 綱ㄍㄤ 者ㄓㄜˇ 君ㄐㄩㄣ 臣ㄔㄣˊ 義ㄧˋ

父ㄈㄨˋ 子ㄗˇ 親ㄑㄧㄣ 夫ㄈㄨ 婦ㄈㄨˋ 順ㄕㄨㄣˋ

{語文小博士}天、地、人是組成世界的成分；日、月和星星是光線的來源。三綱是君臣間的言行要合乎義理、父子間能相親相愛、夫婦間必須和睦相處。

曰<ruby>春<rt>イメ</rt></ruby>夏<ruby>ㄒ<rt>ㄧㄚ</rt></ruby>

曰秋冬、此四時、運不窮…

曰（ㄩㄝ）春（ㄔㄨㄣ）夏（ㄒㄧㄚˋ） 曰（ㄩㄝ）秋（ㄑㄧㄡ）冬（ㄉㄨㄥ）

此（ㄘˇ）四（ㄙˋ）時（ㄕˊ） 運（ㄩㄣˋ）不（ㄅㄨˋ）窮（ㄑㄩㄥˊ）

曰（ㄩㄝ）南（ㄋㄢˊ）北（ㄅㄟˇ） 曰（ㄩㄝ）西（ㄒㄧ）東（ㄉㄨㄥ）

此（ㄘˇ）四（ㄙˋ）方（ㄈㄤ） 應（ㄧㄥ）乎（ㄏㄨ）中（ㄓㄨㄥ）

{語文小博士}春夏秋冬是一年四季的名稱，季節不斷運行，無窮無盡。東西南北叫做四方，這四方都要以中央為基準，才能夠辨別出正確的方向。

曰<ruby>水<rt>ㄕㄨㄟˇ</rt></ruby><ruby>火<rt>ㄏㄨㄛˇ</rt></ruby>

木金土、此五行、本乎數…

曰ㄩㄝ 水ㄕㄨㄟ 火ㄏㄨㄛ 木ㄇㄨ 金ㄐㄧㄣ 土ㄊㄨ

此ㄘ 五ㄨ 行ㄒㄧㄥ 本ㄅㄣ 乎ㄨ 數ㄕㄨ

十ㄕ 干ㄍㄢ 者ㄓㄜ 甲ㄐㄧㄚ 至ㄓ 癸ㄍㄨㄟ

十ㄕ 二ㄦ 支ㄓ 子ㄗ 至ㄓ 亥ㄏㄞ

{趣文小博士}金木水火土都是根據數字的變化而產生的。甲乙丙丁戊己庚辛壬癸，以及子丑寅卯辰巳午未申酉戌亥，都是我國古時候計算時間的方法。

日黃道
ㄖ、ㄏㄨ、ㄉㄠ、
ㄜㄤㄤ

日所躔、曰赤道、當中權…

曰（ㄩㄝ）黃（ㄏㄨㄤ）道（ㄉㄠ）　日（ㄖˋ）所（ㄙㄨㄛ）躔（ㄔㄢ）

曰（ㄩㄝ）赤（ㄔˋ）道（ㄉㄠ）　當（ㄉㄤ）中（ㄓㄨㄥ）權（ㄑㄩㄢ）

赤（ㄔˋ）道（ㄉㄠ）下（ㄒㄧㄚ）　溫（ㄨㄣ）暖（ㄋㄨㄢ）極（ㄐㄧ）

我（ㄨㄛˇ）中（ㄓㄨㄥ）華（ㄏㄨㄚ）　在（ㄗㄞ）東（ㄉㄨㄥ）北（ㄅㄟ）

{歷文小博士} 黃道是太陽運行天空的軌道；赤道是環繞地球中央的一條假想線。赤道附近的氣候特別炎熱，而我國的位置就是在這個地球的東北方。

曰（ㄩㄝ）江（ㄐㄧㄤ）河（ㄏㄜˊ）

曰淮濟、此四瀆、水之紀⋯

曰（ㄩㄝ）江（ㄐㄧㄤ）河（ㄏㄜ）　曰（ㄩㄝ）淮（ㄏㄨㄞ）濟（ㄐㄧ）

此（ㄘ）四（ㄙ）瀆（ㄉㄨ）　水（ㄕㄨㄟ）之（ㄓ）紀（ㄐㄧ）

曰（ㄩㄝ）岱（ㄉㄞ）華（ㄏㄨㄚ）　嵩（ㄙㄨㄥ）恆（ㄏㄥ）衡（ㄏㄥ）

此（ㄘ）五（ㄨ）嶽（ㄩㄝ）　山（ㄕㄢ）之（ㄓ）名（ㄇㄥ）

{語文小博士}長江、黃河、淮河以及濟水，這四條河是我國河流的代表。東嶽泰山、西嶽華山、中嶽嵩山、北嶽恆山和南嶽衡山，是我國的五座名山。

士 農

曰工商、此四民、國之良…

曰（ㄩㄝ）士（ㄕ）農（ㄋㄨㄥ）　曰（ㄩㄝ）工（ㄍㄨㄥ）商（ㄕㄤ）

此（ㄘ）四（ㄙ）民（ㄇㄧㄣ）　國（ㄍㄨㄛ）之（ㄓ）良（ㄌㄤ）

曰（ㄩㄝ）仁（ㄖㄣ）義（一）　禮（ㄌㄧ）智（ㄓ）信（ㄒㄧㄣ）

此（ㄘ）五（ㄨ）常（ㄔㄤ）　不（ㄅㄨ）容（ㄖㄨㄥ）紊（ㄨㄣ）

{語文小博士} 讀書人、農人、工人、商人是國家不可以缺少的棟樑。仁、義、禮、智、信叫「五常」，是做人處事的標準，應該遵守，不可怠慢疏忽。

地ㄉㄧˋ所ㄙㄨㄛˇ生ㄕㄥ

有草木、此植物、徧水陸…

地ㄉㄧ 所ㄙㄨㄛ 生ㄕㄥ　有ㄧㄡ 草ㄘㄠ 木ㄇㄨ

此ㄘ 植ㄓ 物ㄨ　偏ㄅㄧㄢ 水ㄕㄨㄟ 陸ㄌㄨ

有ㄧㄡ 蟲ㄔㄨㄥ 魚ㄩ　有ㄧㄡ 鳥ㄋㄧㄠ 獸ㄕㄡ

此ㄘ 動ㄉㄨㄥ 物ㄨ　能ㄋㄥ 飛ㄈㄟ 走ㄗㄡ

{語文小博士}地球上生存的東西有植物和動物，花草樹木是植物，水中、陸地都有；昆蟲、魚類、鳥類和獸類是動物，能在天空飛、陸上走和水中游。

稻ㄉㄠ 粱ㄌㄧㄤ 菽ㄕㄨ 麥ㄇㄞ 黍ㄕㄨ 稷ㄐㄧ

此ㄘ 六ㄌㄧㄡ 穀ㄍㄨ 人ㄖㄣ 所ㄙㄨㄛ 食ㄕ

馬ㄇㄚ 牛ㄋㄧㄡ 羊ㄧㄤ 雞ㄐㄧ 犬ㄑㄩㄢ 豕ㄕ

此ㄘ 六ㄌㄧㄡ 畜ㄔㄨ 人ㄖㄣ 所ㄙㄨㄛ 飼ㄙ

{語文小博士}稻子、小米、豆類、麥子、玉米和高粱稱為六穀，供我們食用。馬、牛、羊、雞、狗、豬叫做六畜，被人飼養，供給我們吃或做勞役的。

曰[ㄩㄝˋ]喜[ㄒㄧˇ]怒[ㄋㄨˋ]

曰哀懼、愛惡欲、七情具…

曰（ㄩㄝ）喜（ㄒㄧ）怒（ㄋㄨ）　曰（ㄩㄝ）哀（ㄞ）懼（ㄐㄩ）

愛（ㄞ）惡（ㄨ）欲（ㄩ）　七（ㄑㄧ）情（ㄑㄧㄥ）具（ㄐㄩ）

青（ㄑㄧㄥ）赤（ㄔ）黃（ㄏㄨㄤ）　及（ㄐㄧ）黑（ㄏㄟ）白（ㄅㄞ）

此（ㄘ）五（ㄨ）色（ㄙㄜ）　目（ㄇㄨ）所（ㄙㄨㄛ）識（ㄕ）

{語文小博士}高興、生氣、哀傷、懼怕、喜愛、厭惡和慾望是人的七種情緒反應。我們的眼睛也能夠辨識出青、紅、黃、黑、白這五種顏色。

酸ㄙㄨㄢ 苦ㄎㄨˇ 甘ㄍㄢ

及辛鹹、此五味、口所含…

酸ㄙㄨㄢ 苦ㄎㄨ 甘ㄍㄢ 及ㄐㄧ 辛ㄒㄧㄣ 鹹ㄒㄧㄢ

此ㄘ 五ㄨ 味ㄨㄟ 口ㄎㄡ 所ㄙㄨㄛ 含ㄏㄢ

羶ㄕㄢ 焦ㄐㄧㄠ 香ㄒㄧㄤ 及ㄐㄧ 腥ㄒㄧㄥ 朽ㄒㄧㄡ

此ㄘ 五ㄨ 臭ㄔㄡ 鼻ㄅㄧ 所ㄙㄨㄛ 嗅ㄒㄧㄡ

{語文小博士} 食物一進入口中，我們就能知道是酸、苦、甜、辣和鹹等味道。鼻子也能夠嗅出羊羶味、燒焦味、香味、魚腥味和腐爛的味道。

匏<ruby>土<rt>ㄊㄨˇ</rt></ruby><ruby>革<rt>ㄍㄜˊ</rt></ruby><ruby>匏<rt>ㄆㄠˊ</rt></ruby>

木石金、與絲竹、乃八音…

匏ㄆㄠˊ 土ㄊㄨˇ 革ㄍㄜˊ　木ㄇㄨˋ 石ㄕˊ 金ㄐㄧㄣ

與ㄩˇ 絲ㄙ 竹ㄓㄨˊ　乃ㄋㄞˇ 八ㄅㄚ 音ㄧㄣ

曰ㄩㄝ 平ㄆㄥˊ 上ㄕㄤˇ　曰ㄩㄝ 去ㄑㄩˋ 入ㄖㄨˋ

此ㄘˇ 四ㄙˋ 聲ㄕㄥ　宜ㄧˊ 調ㄊㄧㄠˊ 協ㄒㄧㄝˊ

{國文小博士} 匏瓜、陶土、皮革、木材、玉石、金屬和絲及竹等做成樂器所發出的聲音，叫做八音。平聲、上聲、去聲和入聲是說話的語調，應該調和。

高ㄍㄠ曾ㄗㄥ祖ㄗㄨˇ

父而身、身而子、子而孫…

高ㄍㄠ 曾ㄗㄥ 祖ㄗㄨˇ 父ㄈㄨˋ 而ㄦˊ 身ㄕㄣ

身ㄕㄣ 而ㄦˊ 子ㄗˇ 子ㄗˇ 而ㄦˊ 孫ㄙㄨㄣ

自ㄗˋ 子ㄗˇ 孫ㄙㄨㄣ 至ㄓˋ 玄ㄒㄩㄢˊ 曾ㄗㄥ

乃ㄋㄞˇ 九ㄐㄧㄡˇ 族ㄗㄨˊ 人ㄖㄣˊ 之ㄓ 倫ㄌㄨㄣˊ

【語文小博士】「九族」是指長幼尊卑的倫理秩序,它由上而下,依序是:高祖→曾祖→祖父→父親→自己→兒子→孫子→曾孫→玄孫。

父ㄈㄨˋ子ㄗˇ恩ㄣ

夫婦從、兄則友、弟則恭…

父ㄈㄨˋ 子ㄗˇ 恩ㄣ　夫ㄈㄨ 婦ㄈㄨˋ 從ㄘㄨㄥ

兄ㄒㄩㄥ 則ㄗㄜˊ 友ㄧㄡˇ　弟ㄉㄧˋ 則ㄗㄜˊ 恭ㄍㄨㄥ

長ㄓㄤˇ 幼ㄧㄡˋ 序ㄒㄩˋ　友ㄧㄡˇ 與ㄩˇ 朋ㄆㄥˊ

君ㄐㄩㄣ 則ㄗㄜˊ 敬ㄐㄧㄥˋ　臣ㄔㄣˊ 則ㄗㄜˊ 忠ㄓㄨㄥ

{語文小博士} 注重父母與子女的恩情，夫婦的和睦；兄姊要愛護弟妹，弟妹要尊敬兄姊；長幼有次序，朋友要講信義；君主敬重臣子，臣子要效忠君主。

此ㄘˇ十ㄕˊ義ㄧˋ

人所同、當順敘、勿違背⋯

此ㄘ十ㄕ義ㄧˋ　人ㄖㄣ所ㄙㄨㄛˇ同ㄊㄨㄥˊ

當ㄉㄤ順ㄕㄨㄣˋ敘ㄒㄩˋ　勿ㄨˋ違ㄨㄟˊ背ㄅㄟˋ

斬ㄓㄢˇ齊ㄗ衰ㄘㄨㄟ　大ㄉㄚˋ小ㄒㄧㄠˇ功ㄍㄨㄥ

至ㄓˋ緦ㄙ麻ㄇㄚˊ　五ㄨˇ服ㄈㄨˊ終ㄓㄨㄥ

{語文小博士} 上面所說的「十義」，要依照順序去遵守，不要違背。對於斬衰、齊衰、大功、小功、緦麻等父母喪葬時的孝服，要按照習俗，適當的穿。

御書數、古六藝、今不具…

禮ㄌㄧˇ 樂ㄩㄝˋ 射ㄕㄜˋ 御ㄩˋ 書ㄕㄨ 數ㄕㄨˋ

古ㄍㄨˇ 六ㄌㄧㄡˋ 藝ㄧˋ 今ㄐㄧㄣ 不ㄅㄨˋ 具ㄐㄩˋ

惟ㄨㄟˊ 書ㄕㄨ 學ㄒㄩㄝˊ 人ㄖㄣˊ 共ㄍㄨㄥˋ 遵ㄗㄨㄣ

既ㄐㄧˋ 識ㄕˋ 字ㄗˋ 講ㄐㄧㄤˇ 說ㄕㄨㄛ 文ㄨㄣˊ

{語文小博士}禮法、音樂、射箭、駕車、書法和算術
是古代讀書人必備的六藝，現在很少人能完全精通
了。書法是必須學的，更要研究說文解字這部書。

有ㄧㄡˇ 古ㄍㄨˇ 文ㄨㄣˊ

大小篆、隸草繼、不可亂…

有ㄧㄡˇ 古ㄍㄨˇ 文ㄨㄣˊ　大ㄉㄚˋ 小ㄒㄧㄠˇ 篆ㄓㄨㄢˋ

隸ㄌㄧˋ 草ㄘㄠˇ 繼ㄐㄧˋ　不ㄅㄨˋ 可ㄎㄜˇ 亂ㄌㄨㄢˋ

若ㄖㄨㄛˋ 廣ㄍㄨㄤˇ 學ㄒㄩㄝˊ　懼ㄐㄩˋ 其ㄑㄧˊ 繁ㄈㄢˊ

但ㄉㄢˋ 略ㄌㄩㄝˋ 說ㄕㄨㄛ　能ㄋㄥˊ 知ㄓ 原ㄩㄢˊ

{國文小博士}我國文字先有古文，再來則是大篆、小篆，接著才有隸書和草書，順序不可弄亂。若要廣學，就太繁瑣；選擇精華的，就能知道它的根源。

凡ㄈㄢ訓ㄒㄩㄣ蒙ㄇㄥ

須講究、詳訓詁、明句讀…

凡ㄈㄢˊ訓ㄒㄩㄣˋ蒙ㄇㄥˊ　須ㄒㄩ講ㄐㄧㄤˇ究ㄐㄧㄡˋ

詳ㄒㄧㄤˊ訓ㄒㄩㄣˋ詁ㄍㄨˇ　明ㄇㄧㄥˊ句ㄐㄩˋ讀ㄉㄡˋ

為ㄨㄟˋ學ㄒㄩㄝˊ者ㄓㄜˇ　必ㄅㄧˋ有ㄧㄡˇ初ㄔㄨ

小ㄒㄧㄠˇ學ㄒㄩㄝˊ終ㄓㄨㄥ　至ㄓˋ四ㄙˋ書ㄕㄨ

{國文小博士} 教剛入學的孩童，每個字的含意要講解清楚，讓他們懂得如何斷句。求學問要打好基礎，仔細研究《小學》後，就可以讀《四書》了。

論語<ruby>者<rt>ㄓㄜˇ</rt></ruby>

論<ruby><rt>ㄎㄚㄇㄌ</rt></ruby>語<ruby><rt>ㄩˇ</rt></ruby>者<ruby><rt>ㄓㄜˇ</rt></ruby>出<ruby><rt>ㄔㄨ</rt></ruby>

二十篇、群弟子、記善言⋯

論_{ㄌㄨㄣ}語_{ㄩˇ}者_{ㄓㄜˇ} 二_{ㄦˋ}十_{ㄕˊ}篇_{ㄆㄧㄢ}

群_{ㄑㄩㄣˊ}弟_{ㄉㄧˋ}子_{ㄗˇ} 記_{ㄐㄧˋ}善_{ㄕㄢˋ}言_{ㄧㄢˊ}

孟_{ㄇㄥˋ}子_{ㄗˇ}者_{ㄓㄜˇ} 七_{ㄑㄧ}篇_{ㄆㄧㄢ}止_{ㄓˇ}

講_{ㄐㄧㄤˇ}道_{ㄉㄠˋ}德_{ㄉㄜˊ} 說_{ㄕㄨㄛ}仁_{ㄖㄣˊ}義_{ㄧˋ}

{國文小博士}《論語》一書有二十篇，是孔子的學生把他及弟子所說的好話記錄下來，編輯而成。《孟子》共有七篇，全書說明道德和仁義的道理。

作ㄗㄨㄛˋ 中ㄓㄨㄥ 庸ㄩㄥ

乃孔伋、中不偏、庸不易…

作ㄗㄨㄛ 中ㄓㄨㄥ 庸ㄩㄥ　乃ㄋㄞ 孔ㄎㄨㄥ 伋ㄐㄧ

中ㄓㄨㄥ 不ㄅㄨ 偏ㄆㄧㄢ　庸ㄩㄥ 不ㄅㄨ 易ㄧ

作ㄗㄨㄛ 大ㄉㄚ 學ㄒㄩㄝ　乃ㄋㄞ 曾ㄗㄥ 子ㄗ

自ㄗ 修ㄒㄧㄡ 齊ㄑㄧ　至ㄓ 平ㄆㄧㄥ 治ㄓ

{國文小博士}《中庸》是孔伋所寫，「中」是不偏不倚，「庸」是經久不變。《大學》是曾子所寫，從修身齊家的道理說起，一直說到如何治國平天下。

四ㄙˋ書ㄕㄨ熟ㄕㄡˊ

孝經通、如六經、始可讀⋯

四（ㄙˋ）書（ㄕㄨ）熟（ㄕㄡˊ）　孝（ㄒㄧㄠˋ）經（ㄐㄧㄥ）通（ㄊㄨㄥ）

如（ㄖㄨˊ）六（ㄌㄧㄡˋ）經（ㄐㄧㄥ）　始（ㄕˇ）可（ㄎㄜˇ）讀（ㄉㄨˊ）

詩（ㄕ）書（ㄕㄨ）易（ㄧˋ）　禮（ㄌㄧˇ）春（ㄔㄨㄣ）秋（ㄑㄧㄡ）

號（ㄏㄠˋ）六（ㄌㄧㄡˋ）經（ㄐㄧㄥ）　當（ㄉㄤ）講（ㄐㄧㄤˇ）求（ㄑㄧㄡˊ）

{語文小博士}把《四書》讀熟了，《孝經》的道理也懂了，就可以閱讀較艱深的詩經、書經、易經、禮記、樂經和春秋等六經，而且要深入研究。

有連山 ㄧㄡˇ ㄌㄧㄢˊ ㄕㄢ

有歸藏、有周易、三易詳⋯

有ㄧㄡˇ連ㄌㄧㄢˊ山ㄕㄢ　有ㄧㄡˇ歸ㄍㄨㄟ藏ㄘㄤˊ

有ㄧㄡˇ周ㄓㄡ易ㄧˋ　三ㄙㄢ易ㄧˋ詳ㄒㄧㄤˊ

有ㄧㄡˇ典ㄉㄧㄢˇ謨ㄇㄛˊ　有ㄧㄡˇ訓ㄒㄩㄣˋ誥ㄍㄠˋ

有ㄧㄡˇ誓ㄕˋ命ㄇㄧㄥˋ　書ㄕㄨ之ㄓ奧ㄠˋ

{語文小博士}《易經》分為連山、歸藏和周易，是用「卦」來說明萬事萬物的循環道理。典謨、訓誥、誓命是《書經》的篇名，也是這本書的重要內容。

作周禮、著六官、存治體…

我ㄨㄛˇ 周ㄓㄡ 公ㄍㄨㄥ　作ㄗㄨㄛˋ 周ㄓㄡ 禮ㄌㄧˇ

著ㄓㄨˋ 六ㄌㄧㄡˋ 官ㄍㄨㄢ　存ㄘㄨㄣˊ 治ㄓˋ 體ㄊㄧˇ

大ㄉㄚˋ 小ㄒㄧㄠˇ 戴ㄉㄞˋ　註ㄓㄨˋ 禮ㄌㄧˇ 記ㄐㄧˋ

述ㄕㄨˋ 聖ㄕㄥˋ 言ㄧㄢˊ　禮ㄌㄧˇ 樂ㄩㄝˋ 備ㄅㄟˋ

{語文小博士}周公作《周禮》，記載了周朝設官的制度，體制完備國家就太平。戴德與戴聖整理、注釋《禮記》，闡揚古人的話，使禮儀制度保存下來。

曰ㄩㄝ 國ㄍㄨㄛˊ 風ㄈㄥ

曰雅頌、號四詩、當諷詠…

曰ㄩㄝ 國ㄍㄨㄛ 風ㄈㄥ　　曰ㄩㄝ 雅ㄧㄚ 頌ㄙㄨㄥ

號ㄏㄠ 四ㄙ 詩ㄕ　　當ㄉㄤ 諷ㄈㄥ 詠ㄩㄥ

詩ㄕ 既ㄐㄧ 亡ㄨㄤ　　春ㄔㄨㄣ 秋ㄑㄧㄡ 作ㄗㄨㄛ

寓ㄩ 褒ㄅㄠ 貶ㄅㄧㄢ　　別ㄅㄧㄝ 善ㄕㄢ 惡ㄜ

{國文小博士} 國風、大雅、小雅和頌，合稱四詩，記載人民淳樸生活，我們要常朗誦。春秋時孔子作《春秋》，對當時政治加以褒揚和批判，辨別善惡。

三ㄙㄢ傳ㄔㄨㄢˊ者ㄓㄜˇ

有公羊、有左氏、有穀梁…

三傳者　有公羊

有左氏　有穀梁

經既明　方讀子

撮其要　記其事

{語文小博士}公羊傳、左傳以及穀梁傳都是解釋《春秋》的書。四書和六經讀通透了，再讀諸子百家的書，但是子書很多，只要選擇重要的，牢記事理。

五ㄨˇ子ㄗˇ者ㄓㄜˇ

有荀揚、文中子、及老莊…

史

記

五ㄨ 子ㄗˇ 者ㄓㄜˇ　有ㄧㄡˇ 荀ㄒㄩㄣˊ 揚ㄧㄤ

文ㄨㄣˊ 中ㄓㄨㄥ 子ㄗˇ　及ㄐㄧˊ 老ㄌㄠˇ 莊ㄓㄨㄤ

經ㄐㄧㄥ 子ㄗˇ 通ㄊㄨㄥ　讀ㄉㄨˊ 諸ㄓㄨ 史ㄕˇ

考ㄎㄠˇ 世ㄕˋ 系ㄒㄧˋ　知ㄓ 終ㄓㄨㄥ 始ㄕˇ

{語文小博士} 荀子、揚雄、王適、老子和莊子是最重
要的學者，號稱「五子」。通曉了經書和子書，再
讀各類史書，考察世系，了解它們興衰的原因。

自ㄗˋ羲ㄒㄧ農ㄋㄨㄥˊ

至黃帝、號三皇、居上世…

自（ㄗˋ）義（ㄒㄧ）農（ㄋㄨㄥˊ）　至（ㄓˋ）黃（ㄏㄨㄤˊ）帝（ㄉㄧˋ）

號（ㄏㄠˋ）三（ㄙㄢ）皇（ㄏㄨㄤˊ）　居（ㄐㄩ）上（ㄕㄤˋ）世（ㄕˋ）

唐（ㄊㄤˊ）有（ㄧㄡˇ）虞（ㄩˊ）　號（ㄏㄠˋ）二（ㄦˋ）帝（ㄉㄧˋ）

相（ㄒㄧㄤ）揖（ㄧ）遜（ㄒㄩㄣˋ）　稱（ㄔㄥ）盛（ㄕㄥˋ）世（ㄕˋ）

{語文小博士}伏羲式、神農氏和黃帝號稱「三皇」，
是上古時代的明君。接下來的堯帝和舜帝也非常賢
明，都把帝位讓給有才幹的人，創造了太平盛世。

夏_T_Y有_又禹_{ㄩˇ}

商有湯、周武王、稱三王⋯

夏（ㄒㄧㄚˋ）有（ㄧㄡˇ）禹（ㄩˇ）　商（ㄕㄤ）有（ㄧㄡˇ）湯（ㄊㄤ）

周（ㄓㄡ）武（ㄨˇ）王（ㄨㄤˊ）　稱（ㄔㄥ）三（ㄙㄢ）王（ㄨㄤˊ）

夏（ㄒㄧㄚˋ）傳（ㄔㄨㄢˊ）子（ㄗˇ）　家（ㄐㄧㄚ）天（ㄊㄧㄢ）下（ㄒㄧㄚˋ）

四（ㄙˋ）百（ㄅㄞˇ）載（ㄗㄞˋ）　遷（ㄑㄧㄢ）夏（ㄒㄧㄚˋ）社（ㄕㄜˋ）

{語文小博士}夏禹、商湯、周武王都是勤政愛民的君主。夏禹把帝位傳給自己的兒子，從此，天下成了父傳子的方式，經過四百年以後，就被商朝取代。

湯_{ㄊㄤ} 伐_{ㄈㄚ} 夏_{ㄒㄧㄚ}

國號商、六百載、至紂亡…

湯ㄊㄤ 伐ㄈㄚ 夏ㄒㄧㄚ 國ㄍㄨㄛ 號ㄏㄠ 商ㄕㄤ

六ㄌㄧㄡ 百ㄅㄞ 載ㄗㄞ 至ㄓ 紂ㄓㄡ 亡ㄨㄤ

周ㄓㄡ 武ㄨ 王ㄨㄤ 始ㄕ 誅ㄓㄨ 紂ㄓㄡ

八ㄅㄚ 百ㄅㄞ 載ㄗㄞ 最ㄗㄨㄟ 長ㄔㄤ 久ㄐㄧㄡ

{語文小博士}湯起兵滅了暴虐無道的夏桀,建立了商朝,歷經六百年,到紂王時滅亡。武王時才滅了紂王,建國號為周,傳國八百餘年,是歷代最久的。

周轍東

ㄓㄡ　ㄔㄜˋ　ㄉㄨㄥ

王綱墜、逞干戈、尚遊說…

周（ㄓㄡ）轍（ㄔㄜ）東（ㄉㄨㄥ）　王（ㄨㄤ）綱（ㄍㄤ）墜（ㄓㄨㄟ）

逞（ㄔㄥ）干（ㄍㄢ）戈（ㄍㄜ）　尚（ㄕㄤ）遊（ㄧㄡ）說（ㄕㄨㄟ）

始（ㄕ）春（ㄔㄨㄣ）秋（ㄑㄧㄡ）　終（ㄓㄨㄥ）戰（ㄓㄢ）國（ㄍㄜ）

五（ㄨ）霸（ㄅㄚ）強（ㄑㄧㄤ）　七（ㄑㄧ）雄（ㄒㄩㄥ）出（ㄔㄨ）

{語文小博士}周平王東遷後，王室衰微，諸侯興起，時常發生戰爭，擅於遊說的策士獲得重視。春秋時出現了五個霸主，戰國時有七個強國脫穎而出。

嬴ㄧㄥˊ秦ㄑㄧㄣˊ氏ㄕ

嬴ㄧㄥˊ秦ㄑㄧㄣˊ氏ㄕˋ　始ㄕˇ兼ㄐㄧㄢ併ㄅㄧㄥˋ

傳ㄔㄨㄢˊ二ㄦˋ世ㄕˋ　楚ㄔㄨˇ漢ㄏㄢˋ爭ㄓㄥ

高ㄍㄠ祖ㄗㄨˇ興ㄒㄧㄥ　漢ㄏㄢˋ業ㄧㄝˋ建ㄐㄧㄢˋ

至ㄓˋ孝ㄒㄧㄠˋ平ㄆㄧㄥˊ　王ㄨㄤˊ莽ㄇㄤˇ篡ㄘㄨㄢˋ

{國文小博士}秦王嬴政兼併六國，統一天下，傳到二世時，天下大亂，成了楚漢相爭的局面。高祖劉邦建立漢朝，到了孝平帝時，帝位卻被王莽篡奪了。

光武興 ㄍㄨㄤ ㄨˇ ㄒㄧㄥ

為東漢、四百年、終於獻…

光武ㄍㄨㄤ 武ㄨˇ 興ㄒㄧㄥ 　 為ㄨㄟˊ 東ㄉㄨㄥ 漢ㄏㄢˋ

四ㄙˋ 百ㄅㄞˇ 年ㄋㄧㄢˊ 　 終ㄓㄨㄥ 於ㄩˊ 獻ㄒㄧㄢˋ

蜀ㄕㄨˇ 魏ㄨㄟˋ 吳ㄨˊ 　 爭ㄓㄥ 漢ㄏㄢˋ 鼎ㄉㄧㄥˇ

號ㄏㄠˋ 三ㄙㄢ 國ㄍㄨㄛˊ 　 迄ㄑㄧˋ 兩ㄌㄧㄤˇ 晉ㄐㄧㄣˋ

{國文小博士} 光武帝起兵殺了王莽，恢復漢室。漢朝傳了四百餘年，在獻帝時滅亡了。隨後進入了魏、蜀、吳爭雄的三國時代，直到晉朝才統一天下。

宋_{ㄙㄨㄥ}齊_{ㄑㄧˊ}繼_{ㄐㄧˋ}

梁陳承、為南朝、都金陵…

宋ㄙㄨㄥ 齊ㄑㄧ 繼ㄐㄧ 梁ㄌㄧㄤ 陳ㄔㄣ 承ㄔㄥ

為ㄨㄟ 南ㄋㄢ 朝ㄔㄠ 都ㄉㄨ 金ㄐㄧㄣ 陵ㄌㄧㄥ

北ㄅㄟ 元ㄩㄢ 魏ㄨㄟ 分ㄈㄣ 東ㄉㄨㄥ 西ㄒㄧ

宇ㄩˇ 文ㄨㄣ 周ㄓㄡ 與ㄩˇ 高ㄍㄠ 齊ㄑㄧ

{語文小博士} 劉裕滅了東晉後，建了宋，隨後是齊、梁、陳等朝，都建都在金陵。北方也先後成立了北魏、東魏，西魏、北周和北齊，形成了南北朝。

治ㄉㄞˋ至ㄓˋ隋ㄙㄨㄟˊ

一土宇、不再傳、失統緒…

迨（ㄉㄞ）至（ㄓ）隋（ㄙㄨㄟ）　一（一）土（ㄊㄨ）宇（ㄩ）

不（ㄅㄨ）再（ㄗㄞ）傳（ㄔㄨㄢ）　失（ㄕ）統（ㄊㄨㄥ）緒（ㄒㄩ）

唐（ㄊㄤ）高（ㄍㄠ）祖（ㄗㄨ）　起（ㄑ一）義（一）師（ㄕ）

除（ㄔㄨ）隋（ㄙㄨㄟ）亂（ㄌㄨㄢ）　創（ㄔㄨㄤ）國（ㄍㄨㄛ）基（ㄐ一）

{麗文小博士}隋文帝統一了中國，傳位給荒淫無道的煬帝，不久就亡國了。唐高祖李淵率兵起義，平息了天下的亂事，開創了富強康樂的大唐帝國。

二ㄦˋ十ㄕˊ傳ㄧㄇㄢˊ

三百載、梁滅之、國乃改…

二（ㄦˋ）十（ㄕˊ）傳（ㄔㄨㄢˊ）　三（ㄙㄢ）百（ㄅㄞˇ）載（ㄗㄞˇ）

梁（ㄌㄧㄤˊ）滅（ㄇㄧㄝˋ）之（ㄓ）　國（ㄍㄨㄛˊ）乃（ㄋㄞˇ）改（ㄍㄞˇ）

梁（ㄌㄧㄤˊ）唐（ㄊㄤˊ）晉（ㄐㄧㄣˋ）　及（ㄐㄧˊ）漢（ㄏㄢˋ）周（ㄓㄡ）

稱（ㄔㄥ）五（ㄨˇ）代（ㄉㄞˋ）　皆（ㄐㄧㄝ）有（ㄧㄡˇ）由（ㄧㄡˊ）

{歷文小博士} 唐朝傳了二十位皇帝，三百多年，被朱全忠所滅，改國號為梁，歷史進入了梁、唐、晉、漢、周等五代，為了區別，朝名前加個「後」字。

炎（一ㄢ）宋（ㄙㄨㄥˋ）興（ㄒㄧㄥ）

受周禪、十八傳、南北混…

炎ㄧㄢˊ宋ㄙㄨㄥˋ興ㄒㄧㄥ　受ㄕㄡˋ周ㄓㄡ禪ㄕㄢˋ

十ㄕˊ八ㄅㄚ傳ㄔㄨㄢˊ　南ㄋㄢˊ北ㄅㄟˇ混ㄏㄨㄣˋ

遼ㄌㄧㄠˊ與ㄩˇ金ㄐㄧㄣ　皆ㄐㄧㄝ稱ㄔㄥ帝ㄉㄧˋ

元ㄩㄢˊ滅ㄇㄧㄝˋ金ㄐㄧㄣ　絕ㄐㄩㄝˊ宋ㄙㄨㄥˋ世ㄕˋ

{語文小博士} 趙匡胤篡了後周，建立宋朝，傳了十八位皇帝後，北方外族南侵，呈現出混亂局面。遼和金都建國稱帝，元消滅金國後，再滅了宋朝。

興（ㄩˊ）圖（ㄊㄨˊ）廣（ㄍㄨㄤˇ）　超（ㄔㄠ）前（ㄑㄧㄢˊ）代（ㄉㄞˋ）

九（ㄐㄧㄡˇ）十（ㄕˊ）年（ㄋㄧㄢˊ）　國（ㄍㄨㄛˊ）祚（ㄗㄨㄛˋ）廢（ㄈㄟˋ）

太（ㄊㄞˋ）祖（ㄗㄨˇ）興（ㄒㄧㄥ）　國（ㄍㄨㄛˊ）大（ㄉㄚˋ）明（ㄇㄧㄥˊ）

號（ㄏㄠˋ）洪（ㄏㄨㄥˊ）武（ㄨˇ）　都（ㄉㄨ）金（ㄐㄧㄣ）陵（ㄌㄧㄥˊ）

{語文小博士}元朝的版圖橫跨歐亞兩洲，超越以前各朝代，但是，只維持九十年就滅亡了。太祖朱元璋建立了明朝，年號為洪武，以金陵為國都。

迨ㄉㄞˋ成ㄔㄥˊ祖ㄗㄨˇ

遷燕京、十六世、至崇禎…

迨（ㄉㄞ）成（ㄔㄥ）祖（ㄗㄨ）　遷（ㄑㄧㄢ）燕（ㄧㄢ）京（ㄐㄧㄥ）

十（ㄕ）六（ㄌㄧㄡ）世（ㄕ）　至（ㄓ）崇（ㄔㄥ）禎（ㄓㄣ）

權（ㄑㄩㄢ）閹（ㄧㄢ）肆（ㄙ）　寇（ㄎㄡ）如（ㄖㄨ）林（ㄌㄧㄣ）

李（ㄌㄧ）闖（ㄔㄨㄤ）出（ㄔㄨ）　神（ㄕㄣ）器（ㄑㄧ）焚（ㄈㄣ）

{語文小博士}到了成祖時，遷都燕京，傳了十六世，崇禎是最後一位皇帝。由於宦官掌握大權，導致流寇四起。李自成攻破北京，明朝就結束了。

清世祖ㄕˋㄗㄨˇ ㄑㄧㄥ

膺景命、靖四方、克大定…

清（ㄑㄧㄥ）世（ㄕˋ）祖（ㄗㄨˇ）　膺（ㄧㄥ）景（ㄐㄧㄥˇ）命（ㄇㄧㄥˋ）

靖（ㄐㄧㄥˋ）四（ㄙˋ）方（ㄈㄤ）　克（ㄎㄜˋ）大（ㄉㄚˋ）定（ㄉㄧㄥˋ）

由（ㄧㄡˊ）康（ㄎㄤ）雍（ㄩㄥ）　歷（ㄌㄧˋ）乾（ㄑㄧㄢˊ）嘉（ㄐㄧㄚ）

民（ㄇㄧㄣˊ）安（ㄢ）富（ㄈㄨˋ）　治（ㄓˋ）績（ㄐㄧ）誇（ㄎㄨㄚ）

{語文小博士}清世祖率兵入關後，平定了四方亂事，百姓才有安定的生活。又經過康熙、雍正、乾隆、嘉慶四位皇帝，百姓富足，治績是值得誇耀的。

道ㄉㄠˋ咸ㄒㄧㄢˊ閒ㄐㄧㄢ

變亂起、始英法、擾都鄙…

道ㄉㄠ 咸ㄒㄧㄢ 間ㄐㄧㄢ 變ㄅㄧㄢ 亂ㄌㄨㄢ 起ㄑㄧ

始ㄕ 英ㄧㄥ 法ㄈㄚ 擾ㄖㄠ 都ㄉㄨ 鄙ㄅㄧ

同ㄊㄨㄥ 光ㄍㄨㄤ 後ㄏㄡ 宣ㄒㄩㄢ 統ㄊㄨㄥ 弱ㄖㄨㄛ

傳ㄔㄨㄢ 九ㄐㄧㄡ 帝ㄉㄧ 滿ㄇㄢ 清ㄑㄧㄥ 歿ㄇㄛ

{語文小博士}道光、咸豐年間,變亂接二連三發生,先是英、法聯軍,擾亂京城。同治、光緒時,內憂外患,到了宣統年間,滿清政府就被推翻了。

革《さ′命ㄇ一ㄥ興ㄒㄧㄥ

廢帝制、立憲法、建民國⋯

革ㄍㄜˊ命ㄇㄧㄥˋ興ㄒㄧㄥ　廢ㄈㄟˋ帝ㄉㄧˋ制ㄓˋ

立ㄌㄧˋ憲ㄒㄧㄢˋ法ㄈㄚˇ　建ㄐㄧㄢˋ民ㄇㄧㄣˊ國ㄍㄨㄛˊ

古ㄍㄨˇ今ㄐㄧㄣ史ㄕˇ　全ㄑㄩㄢˊ在ㄗㄞˋ茲ㄗ

載ㄗㄞˇ治ㄓˋ亂ㄌㄨㄢˋ　知ㄓ興ㄒㄧㄥ衰ㄕㄨㄞ

{語文小博士}辛亥革命後，廢除了君主專政，制定憲法，建立中華民國。中國歷代的太平盛世和紛亂原因都記載在這裡，我們要從中記取教訓和警惕。

史ㄕˇ 雖ㄙㄨㄟ 繁ㄈㄢˊ

讀有次、史記一、漢書二…

史（ㄕˇ）雖（ㄙㄨㄟ）繁（ㄈㄢˊ）　讀（ㄉㄨˊ）有（ㄧㄡˇ）次（ㄘˋ）

史（ㄕˇ）記（ㄐㄧˋ）一（ㄧ）　漢（ㄏㄢˋ）書（ㄕㄨ）二（ㄦˋ）

後（ㄏㄡˋ）漢（ㄏㄢˋ）三（ㄙㄢ）　國（ㄍㄨㄛˊ）志（ㄓˋ）四（ㄙˋ）

兼（ㄐㄧㄢ）證（ㄓㄥˋ）經（ㄐㄧㄥ）　參（ㄘㄢ）通（ㄊㄨㄥ）鑑（ㄐㄧㄢˋ）

{國文小博士}雖然史書很多，但是讀的時候必須按照順序，先讀史記，再讀漢書，然後是後漢書、三國志，同時還要仔細查證經書，再參考資治通鑑。

讀（ㄉㄨˊ）史（ㄕˇ）者（ㄓㄜˇ）

考實錄、通古今、若親目⋯

讀ㄉㄨˊ 史ㄕˇ 者ㄓㄜˇ 　考ㄎㄠˇ 實ㄕˊ 錄ㄉㄨˋ

通ㄊㄨㄥ 古ㄍㄨˇ 今ㄐㄧㄣ 　若ㄖㄨㄛˋ 親ㄑㄧㄣ 目ㄇㄨˋ

口ㄎㄡˇ 而ㄦˊ 誦ㄙㄨㄥˋ 　心ㄒㄧㄣ 而ㄦˊ 惟ㄨㄟˊ

朝ㄓㄠ 於ㄩˊ 斯ㄙ 　夕ㄒㄧˋ 於ㄩˊ 斯ㄙ

{語文小博士} 研讀歷史，要考察各代的文獻資料，才能夠通曉古今，好像親眼看到。不僅要誦讀，還要用心思考、有恆心，早晚都要抱持這種態度。

昔ㄒㄧ 仲ㄓㄨㄥ 尼ㄋㄧ　師ㄕ 項ㄒㄧㄤ 橐ㄊㄨㄛ

古ㄍㄨ 聖ㄕㄥ 賢ㄒㄧㄢ　尚ㄕㄤ 勤ㄑㄧㄣ 學ㄒㄩㄝ

趙ㄓㄠ 中ㄓㄨㄥ 令ㄌㄧㄥ　讀ㄉㄨ 魯ㄌㄨ 論ㄌㄨㄣ

彼ㄅㄧ 既ㄐㄧ 仕ㄕ　學ㄒㄩㄝ 且ㄑㄧㄝ 勤ㄑㄧㄣ

{語文小博士} 孔子曾向小孩項橐學習，古時的聖賢尚且如此好學，何況是一般人！宋朝的趙普當了中書令的大官，還在認真、勤奮的研讀《論語》。

披_{ㄆㄧ} 蒲_{ㄆㄨ} 編_{ㄅㄧㄢ}

削竹簡、彼無書、且知勉…

披ㄆ一 蒲ㄆㄨ 編ㄅㄢ　削ㄒㄩㄠ 竹ㄓㄨ 簡ㄐㄧㄢ

彼ㄅㄧ 無ㄨ 書ㄕㄨ　且ㄑㄧㄝ 知ㄓ 勉ㄇㄧㄢ

頭ㄊㄡ 懸ㄒㄩㄢ 梁ㄌㄧㄤ　錐ㄓㄨㄟ 刺ㄘ 股ㄍㄨ

彼ㄅㄧ 不ㄅㄨ 教ㄐㄧㄠ　自ㄗ 勤ㄑㄧㄣ 苦ㄎㄨ

{語文小博士}路溫舒和公孫弘家貧，把借來的書抄在
蓆子或竹簡上閱讀，他們沒有書，卻知道勤學。孫
敬懸梁、蘇秦用針刺大腿，是警惕自己要認真。

如囊螢

如映雪、家雖貧、學不綴…

如（ㄖㄨˊ）囊（ㄋㄤˊ）螢（ㄧㄥˊ）　如（ㄖㄨˊ）映（ㄧㄥˋ）雪（ㄒㄩㄝˇ）

家（ㄐㄧㄚ）雖（ㄙㄨㄟ）貧（ㄆㄧㄣˊ）　學（ㄒㄩㄝˊ）不（ㄅㄨˊ）綴（ㄓㄨㄟˋ）

如（ㄖㄨˊ）負（ㄈㄨˋ）薪（ㄒㄧㄣ）　如（ㄖㄨˊ）掛（ㄍㄨㄚˋ）角（ㄐㄧㄠˇ）

身（ㄕㄣ）雖（ㄙㄨㄟ）勞（ㄌㄠˊ）　猶（ㄧㄡˊ）苦（ㄎㄨˇ）卓（ㄓㄨㄛˊ）

{語文小博士}車胤抓螢火蟲照明、孫康利用雪地反光讀書，家境貧苦，卻努力不懈。朱買臣邊挑柴邊讀書、李密把書掛在牛角上，求學精神令人佩服。

蘇ㄙㄨ 老ㄌㄠˇ 泉ㄑㄩㄢˊ

蘇ㄙㄨ 老ㄌㄠˇ 泉ㄑㄩㄢˊ　二ㄦˋ 十ㄕˊ 七ㄑㄧ

始ㄕˇ 發ㄈㄚ 憤ㄈㄣˋ　讀ㄉㄨˊ 書ㄕㄨ 籍ㄐㄧˊ

彼ㄅㄧˇ 既ㄐㄧˋ 老ㄌㄠˇ　猶ㄧㄡˊ 悔ㄏㄨㄟˇ 遲ㄔˊ

爾ㄦˇ 小ㄒㄧㄠˇ 生ㄕㄥ　宜ㄧˊ 早ㄗㄠˇ 思ㄙ

{語文小博士} 蘇洵到了二十七歲時才發憤用功讀書，他很後悔以前沒有把握光陰努力。你們這些年輕小孩，應該仔細想想，趁早用功，免得將來後悔。

若梁灝

若（ㄖㄨㄛˋ）梁（ㄌㄧㄤˊ）灝（ㄏㄠˋ） 八（ㄅㄚ）十（ㄕˊ）二（ㄦˋ）

對（ㄉㄨㄟˋ）大（ㄉㄚˋ）廷（ㄊㄧㄥˊ） 魁（ㄎㄨㄟˊ）多（ㄉㄨㄛ）士（ㄕˋ）

彼（ㄅㄧˇ）既（ㄐㄧˋ）成（ㄔㄥˊ） 眾（ㄓㄨㄥˋ）稱（ㄔㄥ）異（ㄧˋ）

爾（ㄦˇ）小（ㄒㄧㄠˇ）生（ㄕㄥ） 宜（ㄧˊ）立（ㄌㄧˋ）志（ㄓˋ）

{語文小博士}梁灝到了八十二歲才考上狀元，在朝廷回答皇帝問話時，別人都不如他。這麼老才考上，大家都佩服他的毅力，你們這些小孩要及早立志。

113

瑩_{一ㄥ}八_{ㄅㄚ}歲_{ㄙㄨㄟ}

能詠詩、泌七歲、能賦碁⋯

瑩ㄧㄥ 八ㄅㄚ 歲ㄙㄨㄟ 能ㄋㄥ 詠ㄩㄥ 詩ㄕ

泌ㄇㄧ 七ㄑㄧ 歲ㄙㄨㄟ 能ㄋㄥ 賦ㄈㄨ 棊ㄑㄧ

彼ㄅㄧ 穎ㄧㄥ 悟ㄨ 人ㄖㄣ 稱ㄔㄥ 奇ㄑㄧ

爾ㄦ 幼ㄧㄡ 學ㄒㄩㄝ 當ㄉㄤ 效ㄒㄧㄠ 之ㄓ

{語文小博士} 祖瑩八歲就能吟詩，李泌七歲就能以下棋為題作文章。他們雖然天賦比他人強，但是卻仍然努力讀書，你們在開始求學時，應該效法他們。

蔡文姬

能辨琴、謝道韞、能詠吟…

蔡（ㄘㄞ）文（ㄨㄣ）姬（ㄐㄧ）　能（ㄋㄥ）辨（ㄅㄧㄢ）琴（ㄑㄧㄣ）

謝（ㄒㄧㄝ）道（ㄉㄠ）韞（ㄩㄣ）　能（ㄋㄥ）詠（ㄩㄥ）吟（ㄧㄣ）

彼（ㄅㄧ）女（ㄋㄩ）子（ㄗ）　且（ㄑㄧㄝ）聰（ㄘㄨㄥ）敏（ㄇㄧㄣ）

爾（ㄦ）男（ㄋㄢ）子（ㄗ）　當（ㄉㄤ）自（ㄗ）警（ㄐㄧㄥ）

{語文小博士}蔡文姬音樂天賦很高，能辨別音律的吉凶，謝道韞能夠寫出好詩，她們雖然是女子，卻這麼聰慧敏捷，你們身為男子的，更要自我警惕。

方七歲、舉神童、作正字…

唐ㄊㄤ 劉ㄌㄧㄡ 晏ㄧㄢ　方ㄈㄤ 七ㄑㄧ 歲ㄙㄨㄟ

舉ㄐㄩ 神ㄕㄣ 童ㄊㄨㄥ　作ㄗㄨㄛ 正ㄓㄥ 字ㄗㄏ

彼ㄅㄧ 雖ㄙㄨㄟ 幼ㄧㄡ　身ㄕㄣ 已ㄧ 仕ㄕ

有ㄧㄡ 為ㄨㄟ 者ㄓㄜ　亦ㄧ 若ㄖㄨㄛ 是ㄕ

{國文小博士} 唐朝的劉晏被稱為神童，七歲時就當了翰林院正字的官。他雖然年紀還小，已經當官了，你們應該以他為榜樣，將來才能夠出人頭地。

犬ㄑㄩㄢˇ守ㄕㄡˇ夜一ㄝˋ

雞司晨、苟不學、曷為人…

犬ㄑㄩㄢˇ守ㄕㄡˇ夜ㄧㄝˋ　雞ㄐㄧ司ㄙ晨ㄔㄣˊ

苟ㄍㄡˇ不ㄅㄨˋ學ㄒㄩㄝˊ　曷ㄏㄜˊ為ㄨㄟˊ人ㄖㄣˊ

蠶ㄘㄢˊ吐ㄊㄨˇ絲ㄙ　蜂ㄈㄥ釀ㄋㄧㄤˋ蜜ㄇㄧˋ

人ㄖㄣˊ不ㄅㄨˋ學ㄒㄩㄝˊ　不ㄅㄨˋ如ㄖㄨˊ物ㄨˋ

{麗文小博士}狗在晚上會替人看門，雞會在早上叫人起床；蠶會吐絲給人製衣，蜜蜂會釀蜜給人吃，你不努力求學，哪夠資格當人？連動物都不如。

幼（ㄧㄡˋ）而（ㄦˊ）學（ㄒㄩㄝˊ）

壯而行、上致君、下澤民⋯

幼（ㄧㄡˋ）而（ㄦˊ）學（ㄒㄩㄝˊ）　壯（ㄓㄨㄤˋ）而（ㄦˊ）行（ㄒㄧㄥˊ）

上（ㄕㄤˋ）致（ㄓˋ）君（ㄐㄩㄣ）　下（ㄒㄧㄚˋ）澤（ㄗㄜˊ）民（ㄇㄧㄣˊ）

揚（ㄧㄤˊ）名（ㄇㄧㄥˊ）聲（ㄕㄥ）　顯（ㄒㄧㄢˇ）父（ㄈㄨˋ）母（ㄇㄨˇ）

光（ㄍㄨㄤ）於（ㄩ）前（ㄑㄧㄢˊ）　裕（ㄩˋ）於（ㄩ）後（ㄏㄡˋ）

{國文小博士}年幼時好好學習，長大就要貢獻所學，報效國家，為百姓謀福利。不僅有好名聲，還可以使父母感到光榮，光宗耀祖，使子孫得到庇蔭。

人ㄖㄣˊ遺ㄧˊ子ㄗˇ

金滿籝、我教子、惟一經…

人（ㄖㄣˊ）遺（ㄧˊ）子（ㄗˇ）　金（ㄐㄧㄣ）滿（ㄇㄢˇ）籯（ㄧㄥˊ）

我（ㄨㄛˇ）教（ㄐㄧㄠˋ）子（ㄗˇ）　惟（ㄨㄟˊ）一（ㄧ）經（ㄐㄧㄥ）

勤（ㄑㄧㄣˊ）有（ㄧㄡˇ）功（ㄍㄨㄥ）　戲（ㄒㄧˋ）無（ㄨˊ）益（ㄧˋ）

戒（ㄐㄧㄝˋ）之（ㄓ）哉（ㄗㄞ）　宜（ㄧˊ）勉（ㄇㄧㄢˇ）力（ㄌㄧˋ）

{語文小博士}一般人留給子孫的是錢財，我教導子孫卻只是研讀經書。只要你肯勤奮用功，都會有好成果，只顧著玩沒有益處，要警惕自己，勤勉努力。

幼兒版三字經

- 社長／許丁龍

- 編輯／吳鳳珠、常祈天、陳紹輝

- 設計／邱月貞、林恩發、黃正豪

- 出版／風車圖書出版有限公司

- 代理／三暉圖書發行有限公司

- 地址／114台北市內湖區瑞光路258巷2號5樓

- 電話／02-8751-3866

- 傳真／02-8751-3858

- 網址／www.windmill.com.tw

- 劃撥／14957898

- 戶名／三暉圖書發行有限公司

- 初版／2005年10月